KB058010

頌

百八

일러두기

1 —— 이 시집의 원문은 저자의 수정修正과 가필을 거쳤다.

2 —— 원문에서 한자로만 표기되었던 글자에는 음을 병기하였으며,
　　　의미 소통에 문제가 없는 부분은 한글로 바꾸었다.

3 —— 한글 맞춤법, 외래어 표기법에 맞지 않는 부분들은
　　　저자의 의도를 최대한 살리는 것은 원칙으로 삼되 약간의 수정을 거쳤다.

4 —— 본문 중의 •표는 독자들의 작품 이해를 돕기 위해 편집자가 가려 뽑아
　　　일일이 그 내용을 찾거나 번역하여 책 끝에 부기附記한 '편집자 주'이다.

김구용 문학 전집

시 3 ——— 연작장시

頌百八

솔

송 백팔

頌 · 38

金丘庸

그곳은
도□
될때
이
□면
만땅하며

그곳은
性慾이
□면
앙□도
강요하지
않으
하지

□□는
웃음으
찾은
광명.
신앙도

三으르ᄂ
웃음으로
찾은
광명.

않는다。

나에게는
좋은
면만
보인다。

頌

百八

송頌 1

가끔 너는
검은 머리가
찬란하게 변한다. 기적이다.
성숙하는 생각이
세상을 뜨락으로 거느리면
행위는 빛이 되고
말씀은 산들바람이다.

날개가 허탈로서
별[星]나라들과 오간다.
무리無理는 유리有理한 문을 여는데
나의 오랜 관습은 옳지 않았다.

노정路程은 가면서 돌아온다.
보면 없어지나
아니 볼 때 나타나는

연꽃다이.

송 2

말씀에도
후진국이 있느냐.
어제와 내일은
거울에서 한 몸[身]이다.

미움은 사라지면서
봄 종소리가 들린다.

의미를 거부하는
시詩가 항구를 월식月蝕한다.
빛은 없는 것도 보여준다.

탐구가 바로 가능이니
새는 나는 것이 아니며,
우리의 하늘이 난다.

가랑잎의 말씀으로

쇠[鐵]는

해를 낳는다.

송 3

무관심하면
의문은 떠나갈까.
변동의 침묵으로
여러 가지 피색皮色은 노래한다.

들리는가.
생각하는 구름은 절경이다.

멸시하면 옥玉가락지는 떠나가니
과학은 생활을 변화시키지만
무엇이 사람을 개조하는가.

번개는
씨앗을 기르는
탯줄이다.

섬[島]은 상식에서 떠나

대기권을 벗어나

지난날의 오막살이로 집중한다.

아침은

아들, 딸에게 밤길을 걸어 돌아온다.

마음은 거리距離가 없다.

그녀의 손[手]인

좁은 뜨락에는

내 일상의 걱정이 건강하였다.

송 4

밤은

우는 산을 본다.

그런데 산은 아기의 꿈에

여러 가지 장난감을 준다.

입은 여전히

빚이 많은 그릇과

입을 맞추어도 손은 합장한다.

목소리가

없는 데서

생겨나자

그녀는 벌써 만조滿潮였다.

말씀을 잃었을 때

어둠에서 빛나는

채소밭이 있다.

나는 그녀가 오는 길로
간다.

생략省略의 도달은
완성의 종언終焉이다.
살아나는 미완未完은
시간만한 연꽃이다.

모를 일은
천만의 말씀이다.

밤마다 눈을 뜨는 방황은
수많은 산이 우는 소리다.

죽지 않은 하늘은
아이들이 없었다.

송 5

둘이 아닌 합장은

하늘의 흰 연꽃으로 피어

팔만 장경八萬藏經 부처님을 모신다.

아으 생명은 여래如來라 하시나이다.

아으 세계를 건지셨도다.

번뇌는 한없이 자비하사

왕위도 버리시어

중생에게

큰 기쁨을 주시니

천백억화신千百億化身˙ 부처님하,

아으 모든 슬픔은 절하나이다.

아으 인욕忍辱으로서 비치오리다.

삶과 죽음이 그 전부가 아니었으니

사라쌍수娑羅雙樹˙는 샛별에 종소리를 편다.

원융무애˙ 부처님하.

아으 항상 나에게 계시옵는데

아아 누가 어찌 모른다 하오리까.

송 6

생각은 안경을 쓴 채 잔다.
과거는 사실이 아니었다.

하루를 과잉 생산하는
쇠고랑과 고랑쇠는
쇠고기의 법法만 듣고 있었다.

내리는 비는
절교絶交 사이에서
깻잎들로 자라는데
잠에서 깨어난 의자가
방문을 열고 나온다.

그리고 하천은
그녀의 속달 편지
내용을 건너간다.

송7

어둠을 낳는
빛을 정정訂正하라.
지귀志鬼는 바로
성덕여왕聖德女王의 몸이었느니라.
최신 무기가 녹아서 종소리 날 때
모색摸索은 자체自體한다.

우주의 무덤은
물을 만들고
숲은 기도한다.

걸작傑作에서 벗어난
바다의 살결이다.
무아無我에의 합장은
하늘을 나는 연꽃이다.

표정을 잃은 송강宋江에는

고운孤雲*의 시름이 건강했으니,

낮달은 하늘을

떠서 마시는 그릇이었다.

끊어진 대답은

눈을 뜨는 내재內在다.

산에서 내려온

잡색雜色 갈보가

미래와 통화를 한다.

상고대上古代의 제물祭物 인간은

돌[石]의 통역으로 다시 살아났다.

분노는 미워하는 말을 듣지 않았다.

알고서는 모르느니

모르는 믿음을 믿어라.

천수 천안千手千眼은 한 몸[身]이셨다.

송 8

의미가 없는 의미와

공간은 작동한다.

자유롭게

나무가지를 뻗는 공간과

밤중에 지나온 소리는

죽음에서 탈출하는 연구 발표였다.

초록빛 비[雨] 속에서

꽃녀가 온다.

거문고의 흐름은

나부끼는 육신이요,

사랑의 비밀인

파도는 불이다.

하늘의 회의장에

물고기들은 모이고,

말[馬]들은

바다 밑의 밭을 가꾼다.

가난이 사라지는 새벽이다.

옛부터 태양은 가슴마다 맥박脈搏하였다.

이질異質들은 가치에 있어 하나였다.

매력은 분석할 수 없는 것이다.

허무는 무성茂盛했다.

성숙하는 골짜기에서

헤밍웨이가 마지막으로

엽총을 쏜 표적은

달려오는 자기 장의차葬儀車였다.

포도빛 뱀은 순간

사막에서 타버렸다.

웬일인가.

거울에서는 입 없는 얼굴과

하늘빛 시계가 서로 속삭인다.

자네가 아는 것만 아는 한

그 외는 모를 것이다.

송 9

참다움은 들리지 않았으나
성냥개비 하나가
음식을 만든다.

의욕에 따르는 그림자가 있어
그림자만 공포를 모른다.

합성 유지合成油脂에도
태초는 순환하는데,
밤이 목숨을 전하면
핵核이 해산하는
달의 울음이다.

이튿날 시가市街를 가도가도
남은 하나도 없어서
각자가 자신이었으니

만나는 사람들은

서로가 나이기에

우리는 분명하였다.

송 10

고착固着은 꿈을 낳는가.
말씀은 없는 것도 나타내었다.
그러나 서로의 손실損失은
부끄러웠다.

너를 아끼지 않으면
죽음은 기도를 한다.

동작마다 연꽃이 핀다.
파산破産마다 해가 뜬다.
말씀은 백지에 무성하였다.

이러한 들리지 않는
소리를 보시는가.

세상을 위하여
제각기 행복하오.

그러한 보이지 않는

소리를 들으시는가.

송 11

전등불을 켠
장사꾼은
물건을 필요에 나누어준다.
선線은 거리距離를 지워버린다.

아기는 고무제製 코끼리를
베개로 베고 자면서
꿈에 들[野]을 달린다.
벌집이 난 총소리가,
논밭을 지나
옛날 이야기에 이르렀을 때
온 동네는 많은 감[柿]들이 열려 있었다.

잎이 떨어지면서
익는 목소리는
밤 한가운데서
오는 빛이다.

먼동이 죽음에서 트고
접시가 눈을 뜨면
바다로 둔갑한 명란젓은
고래 떼가 되어 달아난다.

너는 세계를
만들어 산다.
너는 시간을
만들어 쓴다.

송 12

싹은 흙에서 돋아나고
불은 피로서 순환하는데

언제면
쇠[鐵]는 음악으로서 결혼하는가.
우선은 아무것도
않은 일을 시도해본다.
그래서 몸살은 길[路]이 되어서
산호가지마다
별[星]들이 맺는 남쪽 노래다.

집안을 잘 가꾸는
아내 때문에
도박은
거짓말을 한다.
계속 장마비가 내린다.

옛 십자가는

거룩하오나

내일의 십자가는

믿을 수가 없다.

말씀은 점點만 두고

제각기 흩어졌지만

그의 눈과 그녀의 눈은

하나로 밀접密接한다.

송 13

숲으로 들어간

뉘우침은

숲이 된다.

그래서

후회는 없는 것이다.

없는 데서

새[鳥]는 하늘에 있다.

그래서 서로는

버릴 수가 없다.

이래서 서로가

의지한다.

설매雪梅에서 꽃피는 달은

불에서 열매를 맺은 문자다.

세계는 한 몸이었으니

침묵은 물결친다.

혼자서는 못 사느니

소음도 종소리였다.

교통의 공간인

정적은 말씀을 한다.

송 14

녹綠빛 향내는
밤이면 꿀[蜜]이어서
얻는 수고는
주는 기쁨이다.

서로의 믿음은
함께 부드러이 이긴다.
그 외에도
돌아보아야 할 위치에 서면
존경할 장면이 아니기에
버리는 짓은
기르는 일이다.

어리석은 짓인가.
사나운 계절은
누구나 나의 일이다.

화성 관측선火星觀測船의 보고는

찢어진 그물이었다.

여자는 무인도에 누워 있었다.

물소리여

관세음보살하,

구름 사이로 노니는

물고기들은

친구들 사이다.

송 15

후박나무는
중립中立한 창에
노래를 심는다.

배[船]가 하늘을 오가듯이
그들은 한 몸이다.

무엇이 착한 힘인가.
당신의 아들은
착한 힘이다.

송 16

그는 누구인가.
그는 누구인가도 모르는 주제에
항상 광명을 본다.

님은 바로 나일까.
님은 바로 각자였으니
님은 바로 자신이었다.

그런데 저 노랫소리는
"어부지리漁父之利"올시다.
남쪽에 자라 오른 산호 숲과
현기증을 얽은 교통망은
파도가 춤을 추는 어족魚族입니다.

"고래 싸움에 등이
터진 새우는 영화였던가요."
"무던히도 할 일이 없나 보군요.

그러나 유해 식품에는

관심을 가져야 합니다."

공자는 탄식한다.

"하필이면 그는 초楚나라 사람이라고 하는가."

석가는 나에게 말한다.

"너는 신앙에 묶이지 말라."

심장에서

나온 날개는 인사한다.

"반갑습니다.

우리가 전번에 만났던

곳은 어디였던가요."

"잘은 모르겠으나

매우 추웠어요.

필시 싸구려 선지국 집이 아니었을까.

우린 언제나 공연히 바쁘군요.

글쎄올시다.

언젠가는 아마 만나겠지요.

안녕 그럼 안녕."

"그럼 안녕 안녕."

마을은 무슨 이야기를 전하는가.

밝은 빛과 그늘의 대화는

무능한 말씀을 유의한다.

송 17

무량겁無量劫* 전에
한 번 어깨를 스친
생각이 떠오르자
나와 그녀는
녹음 테이프에서
만난다.

억천만겁 뒤에서도,
잎사귀들이 우거지는 종소리에
합장合掌은 날은다.

목적이 없는 시간은
흐르는 바탕[質]이어서

적막한 격동은
하나를 없애며
적연寂然한 폭발은

무無마저 없애고

나타나는
광명光明은 누구이신가.

송 18

큰 가난과
숱한 과학이 만난 곳에서
눈이 구름을 읽으면
말씀은 알 것이다.

비가 온다.
보배로운 손[手]은
죽음을 살리는 칼[刀]이다.
떠나갔던 잎사귀들이
돌아오는 날개짓이다.

말하자면
이러한 편지와
저러한 시계처럼
내가
내게서 벗어나면
모든 이의

것이

되리라.

송 19

열이 높은 병실에서
머나먼 낙엽송落葉松까지
비는 말한다.

지적知的 고가 도로는
철제 십자가다.
녹[錆]슨 이마에
흐르는 피는 가속화한다.
"사람을 살리오."
"그건 어느 나라 말인가요."

비가 내리는데
소음이 점점 깊다.
환자는 요람搖籃한다.

계속 비가 온다.
타인의 피에서 나타난

그림자는 삶이나 또는 죽음에
기도를 드린다.
바닥은 해[日]가 얼어붙었다.
그대로가 부재不在의 내용이었다.

비가 떠난다.
칼은 죽이기도
살리기도 한다.

그럼 보배로운 손은
무엇인가.

송 20

저항의 길은
미워하지 않는다.
저항의 길이 있다.
낙원은 사라지더라도 어디에 있는가.
이민 간 제자의 편지가 왔다.

선생님, 저는 위험한
용접공 노릇을 합니다.
워낙 땅이 커서
인정도 멀기만 합니다.

노래는 늙었지만
자연은 신혼으로 빛나지만
혼자 남은 헝겊 조각은 울먹인다.
연기에도 소름이 돋았다.
복종하는 그는
아무도 존경하지 않았다.

석구신환약石臼新丸藥

초당시배경草堂時拜經은

금동심金冬心의 구절인데

겨울의 초생달은

능호관凌壺觀 이인상李麟祥°을 생각하는가.

만나는 사람마다

재생再生은 반가웠다.

송 21

나이 오십을 넘어서니

바람의 비색秘色을 알겠다.

잎사귀마다 기름기가 돈다.

흰 연꽃은

철 염鐵鹽의 환원 염還元炎에서 온다.

그래도 말은 말을 믿지 않는구나.

권총소리가 악기樂器에서 났다.

늙은 여자 가수는 구심점求心點에 쓰러진다.

그가 하늘과 이야기하는 날에

호수의 노래는 우거진다.

나는 너를 찾는다.

나는 너희들의 것이 되려

나를 벗는다.

별을 치료하는

흙은 아느니

귀머거리의 미소는
피안이었다.

고마운 일은
방안의 침묵이
다시 말씀을 낳는다.

송 22

아내는 혼자서 새벽녘에

3백 년 뒤의 산부인과 병원으로 갔다.

소리가 문에 비를 뿌린다.

얼룩진 유리창과

항구의 배[腹] 바닥은

수많은 유형으로 일렁인다.

전화 벨이 울리자

까마귀 떼는

카페트에서

날아오른다.

"자물쇠로 잠근 짐짝마다

여보세요, 얼굴이

열두 개씩 들어 있군요."

꿈은 계속 폭탄을 투하한다.

병원에서는 아직 기별이 없는데

저만치 늙은 해안海岸이 웃는다.

송 23

우연한 바다는
생각의 세포들이다.
낮과 밤이 합치合致한 곳이다.
희생당한 무녀巫女에서
태어났던 너는
날개소리를 듣는다.

양귀비꽃이 권총을 쏘자
망원경은 나자빠진다.
달[月]이 된 죽음은
달에서 오는 파도소리다.
권총은 폭력의 고백을 듣는다.

눈[眼]은 앞을 연[開]다.
그의 일생은
한 가지도 사실이 없었다.
우리의 소원이 마르면

하늘은 상傷한다.
그녀의 상처는 내일을
낳는다.

옷감을 과잉 생산하는
허점은 대답이 없다.
역시 점괘는 벙어리였다.
낮이나 밤이나
바람은 통역한다.

송 24

오기 전은
떠난 뒤의 상태였다.

내가 아는 일이라고는
네가 아니었다.
열매[實]들이 목숨을 수호한다.
돌[石]은 바람을 지적한다.

샘물은 언제나 간다.
길[路]은 만나는 것이다.

누군가 돌아보는 동안
아무도 모르는 돌이
강江을 본다.
누가 나를 부른다.

손을 서로 잡고

물결이 일어난다.

나무가지의 성숙成熟은
너에게

그 이전과
그 이후를
전한다.

송 25

이제는 비밀이 아니다.
녹綠빛 피[血]는 잘 순환하지만

나라가 없는 백성으로 태어나
반국민으로 떠났던
미혼모가 돌아온다.

가식假飾은 사실을 알지만
음식은 다 다르다.
나무들은 어디서나
잘 어울리듯이
염원은 언제나 말씀이 된다.

그래도
날[生]것을 씹는 내용과
포식은 이별을 서두르는데
밤중에

눈을 뜨는 손실은 잠깐이다.

돌[石]은

사전辭典 이전에서

먼동이 튼다.

송 26

그는 누구인가.
성직자들이 없는 종교였다.
교주가 없는 참신앙은
무엇인가.

출발마다 당도한
말씀이 문을 연다.
한 가지도 버릴 원점原點은 없으니
변수變數하는 그릇[器]을 보아라.

밤은 자손들을 회향廻向하고
조선祖先들은 배[船]를 회향한다.
너를 위한 근로는
내가 받는 회향이다.
그녀는 간다지만
내가 보기에는
그녀는 오고 있었다.

귀[耳]가 열리면서
무연無緣도 변화한다.
바람이 바람을 휩쓸어 들어가자
귀는 닫히고
씨앗은 추방을 당했다.

네가 버린 착상들이
쓰레기통에서 살아 나온다.
나의 그들은
보리수菩提樹였다.

송 27

거룩한 안내를 하자.
복잡하다는 한 가지로
매일은 식상食床이었다.
중량은 공간을 깨닫는다.

그가 전설에 올라서서
폭포를 굽어보았더니
밑이 어지러웠다.
실은 오산誤算한 탓이었다.

그가 엉금엉금 내려와서
떨어지는 폭포수를 마시자
과오過誤는 일시에 사라졌다.
거짓말은 사실이었다.
물은 위도 아래도
안도 바깥도 없었다.

안경의 한 방울 비[雨]는

눈물이 모여서 바다가 날은다.

괴로운 행복은

편안한 고통이었다.

자신이 없는 기旗들은

서로가

잡신雜神들을 내세운다.

그는 아침마다

자기 자신이 되고자

그대에게 예배를 한다.

돌의 시간은

흐름[流]의 구독점句讀點이었다.

송 28

밤마다 말씀을 영접하는
종이[紙]는
그 말씀이 다 다르다.
"아무도 내 몸이
욕심나지 않는 모양이지요."
부자인 여자는 돈이 많아서 쓸쓸히 웃었다.

날씨 때문에 간음을 했을까.
혼혈아는 귀여운 딸이었다.
없어서 나타나는 일과
있어서 없어지는 사실이
하나를 이루기에는
버릴 요소가 없었다.

돌이 시각의 색채를
청각하면 돌은
하늘도 목소리였다.

착한 개[犬]들은 어디로 갔는가.

도취한 방법은 쓰러질 것만 같다.

이것도 저것도 아닌

명제는 무엇인가.

나는 "나를 위해 있다" 지만

실은 속아서 갔다.

송 29

미움을 멸시하는 집은
작은 새들을 살려야 한다.

파괴의 누적을
거부하는 완전질完全質은
고독이 아니므로
허무는 광명光明하였다.

있는 것과 없는 것이
바다에 등불을 켜면,
세계는 뒤돌아본다.
새들은 여권도 없이
여러 곳을 여행한다.

강은 흘러도 중간이지마는
빙점氷點의 불은
계속하는 생활들을

보온保溫한다.

미움은 없어서
연약한 무엇이
곱게 자라난다.

송 30

편안한 고통과
괴로운 기쁨은
합쳐 흐른다.
동시同時란
환자患者가
한 쌍 봉황 무늬의 비단[錦]을 본다.

피곤이 휴식을 생각하면
바늘귀에서
갖가지 수繡실은 나와 쉬는데
"어떻게 덜어드릴 수가 있나요.
타락한 재주와
치사한 분노를
덜어드릴 수가 있을까요."

바위[巖]의 혈맥은
벽사辟邪의 골격을 생각한다.

무엇보다도
없음은 분명하였다.
목적은 무의미를
머리에 쓰고
발은 장단에 춤을 춘다.
춤은 열심히 파도 친다.

송 31

한가지 근심으로
후박나무 잎사귀들은 친구 사이였다.
가까운 친구들이었다.
그가 돌아보는 층계에서
홀연 성자聖者는 사라지드니
나는 중량重量으로서 나를 깨닫는다.

그림자가 손을 이끌면
밤은 그림자를 따라온다.
친한 사람들은
후박나무로 들어선다.

구름은 일제히
소리를 본다.

물음은 쓰디쓴 황금빛이요,
대답은 짜디짠 옥빛이다.

송 32

서로가 손실을 수술한 곳에서
달[月]마다 벽오동나무가 자란다.
그들은 한 비짜루로 매였지만
활자活字에서 익사溺死는 살아난다.
햇볕은 미래의
교량을 만든다.

나와 악수했던 사람들은
여러 나라에서
그 손을 사용한다.

가버린 친구와 제자는
세계 여러 곳에서
연하장을 이곳으로 보내준다.

무엇이 어떻게 변하더라도
행복은 마찬가지였다.

없는 것을 믿는

사실이 감동한다.

장님은

마음대로 이루어놓는 벽을 본다.

그래서 돌[石]도 알을 깐다.

송 33

가면을 써도 부족한가.
가면을 벗으면
하늘이 부끄러워한다.
"오랜 정情은 어쩌느냐"고
어류魚類들인 노래가 사라진다.

귤橘을 낳는
겨울의 우둔함을 감동하라.
말 따위는
뜻이 없었다.

엇갈리는 내용을 읽는
눈은 찾는다.
가치를 대접하면
비둘기는 날아오는가.
약한 곳에서 얻은 만족은
언젠가 갚아야 할 것이다.

다수가 못[釘]들의 숲을

무관심한 척한다.

입과 귀가

고장故障을 수리하는 중이다.

저녁 노을은 기도를 한다.

쇠[鐵]는

약속을 차단하였다.

가면의 진실은

없는 명시明示를 줍는다.

숲 34

귀는 뒤틀린 이야기를 듣는다.
책들은 모순을 읽는다.
하늘과 이야기하는 호숫가에는
모발毛髮이 무성하였다.
나와 그녀가 만나면
이름 모를 병도 치료될 것이다.
숲과 들의 색채가
정서情緖를 기른다.

시간의 대안對岸은 말씀이다.
산山의 그림자는 거울[鏡] 안을 지나면서
거울과 무슨 말을 하는가.
통로는 발견을 발명한다.

눈[眼]은 치우는 비짜루질이다.
귀[耳]는 닦는 걸레질이다.
너를 밝히는 빛은

찾은 일을 스스로 밝히는

빛이다.

송 35

이승이 전부가 아니듯이
저승도 전부가 아니듯이
합장하면
두 팔 사이의 세계는
아이들을 위해서
그림자는 물이 흐른다.
가난은 부활한다.

송 36

풀리지 않는
얼룩이 생명한다.
고운 정과 넓은 정이 스미면
조국은 사랑이었다.

눈은 하늘을 모으고
발은 흙을 모으는데
세상은 태어날 아기를
거부한다.

다가오는 대례복大禮服은
의사醫師의 기억으로 가끔 착각한다.
가난이 발견한 풍요는
불행이 발명한 번영이다.
생生·사死 역두驛頭에서 달려오는
문제는 단순하지 않았다.

꿈마다 실직자가 되어
바다를 떠도는 배[船]는
산을 노래한다.

산은 두려움을 모르지만
공간은
잠들기까지
비를 뿌린다.
수확과 어둠은
기도를 편다.

피곤은 무슨 소용이 있는가.
조그만 머리에도
모를 사람들이 다 들어온다.

송 37

오랜 대가代價가
있기 전과
없어진 뒤를 찾아서
버려야 할 점點도 살리면
거울 안에서
나온 그녀가
내 눈에 보인다.

따뜻한 햇빛이 알[卵]을 부화하면
흙은 비에 젖어 새싹을 낳는다.
서로는 위대할 필요가 없어서
뭉게구름이 돌[石]에서
피어 오른다.
사랑은 프라스틱제製였지만
밤은 짐승이었다.
하지만 생활비가
워낙 비쌌다.

그의 손만이

그녀의 귀[耳] 뒤쪽

숲에 숨은 사마귀를

알아서 찾아가면

백호白毫는 미간眉間이었다.

우리는 방광放光한다.

공기空氣가 여섯 가지로 진동한다.

송 38

돈과 성욕은

믿음도 필요가 없다지만

물소리는 회복한 광명이다.

그에게는 좋은 면만 보인다.

결함이 많은 나는

좋은 면만 보인다.

그러므로 나는 확실하지 못하다.

그녀가 잘 알듯이

나는 확실하지 못하다.

서로가 거울[鏡]이 아니기에

우리는 안팎인 하나였다.

불사조가 없어지더니

사진만 남았다.

사진에서 나온 아이는

황량한 고향 산천이지만

하늘이 가장 아끼는 보배였다.

우리의 딸인 일류 호텔 콜걸은

용 머리에 거북[龜] 몸을 흔들지만

눈물은 얼어서 별[星]이 된다.

머리카락들은 얼어서

보슬비가 내린다.

식탁食卓은 얼어서 소망이 온다.

송 39

반신半身의 이적異蹟은

어디에 감사를 드려야 하는가?

고향을 잃은 백성들이

종소리를 듣는다.

그림자들은

어둠에서

그림자를 본다.

달아나는 폭력은 정당하며

드러난 자선慈善은 주장하지 않는다.

목석木石이 찾아낸 구멍이 있다.

그래서 나의 가슴에는

별[星]이 세 개며

너에게는

한 마리 새가 길잡이였다.

바다는 형제들이구나.

나는 선생을 존경하는

거울을 보지 못해서

돌아왔다.

아들아 딸아, 미안하여라.

아내여

우리는 가엾이도

세상에서 부러운 것이 없네.

무더운 겨울이 왔다.

눈발마다 숨을 쉬는 목련의

남藍빛 돌은 어디서 왔는가.

그 지역은 알 수가 없는 곳이어서

생각은 알 수가 없는 일들을 매만진다.

작아도 개미는

완전했다.

누구나 도움이 될 바늘구멍을

찾으라 한다.

날마다

사랑 한 번 못한

사랑이 넘쳐서

나는 네가 저지른 허물을

저승은 찬송한다.

송 40

잃은 자는 찾으러
계곡을 더듬어 들어간다.
달이 비친 물에서
호랑이들은 웃고 있었다.

오래 묵은 사실보다도
혼례 날을 기다리는
겨울은 눈만 감아도 본다.
잉태한 지평선으로
등불은 돌아오는데
장애물이 비켜서면서
종소리는 물결 인다.

뿔[角]을 섬기는 여자는
인주석仁柱石의 인육印肉이었다.
들[野] 빛깔은 일들을
한곳에 어울려놓는다.

성공이 단순한 함정이라면
그녀를 보기는 어려울 것이다.
누가 데려갈 것인가.

아이들은 모여드니
어디서나 행복할
책임은 있었다.

송 41

들어보십시오.
조선祖先들은 영원을 춤추며
소나무들은 영원을 춤추며
이나 저나 간에
형제들은 싸우지 않는다.
가버리는 구름은
내일의 날씨를 본다.

믿음의 숲에서
미혼모未婚母는 분홍빛 부리로
눈물을 마신다.
약삭빠른 성공이 아니면
점잖음은 쫓겨났다.
원래 말[言]이 병病이었다.
못 자국이 뼈에 그늘졌다.

두 다리 사이에

머리를 처박은 책이여

아직도 존재 없는 겸재謙齋*의

산은 연꽃이지만

내리는 눈은

불꾸러미 속에서

그 뜻을 뻗어 나가지만

금빛 샘물이 솟는

절정絶頂은 이별이었다.

사십억 년의 죽음이

하늘을 여는데

혼란은 귀[耳]에서 번쩍인다.

송 42

아이는 가는데

비[雨]가

불[火]에 기도를 심는다.

작별은 행복하소서.

칠백 년 전의

매미소리가 하늘을 연다.

고막에서 용수철소리가 예고한다.

내가 나를 비우면

새들은 안에서 논다.

보는 사람마다

돌[石]은 뜻이 다르다.

양단兩端의 반대는 합치合致인가.

베개[枕]는 기억인가.

진찰에도 나타나지 않는

병이 있었다.

월급月給하는 그릇[器]에는

잎들이 바람으로 진다.

이것도 저것도

흙은 아니었다.

휴식은 욕심이 아니었다.

그는 집으로 돌아가는데

그래 아이들은 어디쯤 오느냐.

송 43

어느 날
생각은 부끄러운 성자였다.
없는 말씀을 먹고
사는 곳이 있었다.
먼 길은 집 안 뜨락까지
스스로 와서 닿는다.
음성音聲은 따라다니는
일은 아니었다.

젊은 나뭇잎들이
서로 만난 내용이었다.
인연이 만든 책이었다.
슬픈 자랑과
허무의 보람은
아득한 곳에서 양식을 얻는다.
경험은 용서할 것이다.
한 가지 감사로

모두는 축복을 받을 것이다.

지난날의 시점보다도

분명한 배[船]가

한계를 지나간다.

마침내 치부恥部가 있는

하나로 결연結緣하였다.

내용은 내일에 손을 내민다.

문이 열리자

의문疑問은 자아를 발견한다.

어두운 밝음은 아름다웠다.

그는 듣는다,

없는 말씀을.

송 44

노래는 무중력無重力을 낳아도
나의 고백은
"생일을 모릅니다."
그래서 별들은 솟아오른다.

소중한 비밀은
누구나 서로가 필요했다.
눈[眼]의 투시透視에
모인 근심은 종鐘이었다.
불행이 착하기만 한
벗님의 손[手]은 강이었다.

바다가 삼키거나 뱉는
태양은 웃듯이
반백半白이 넘은 소원은
손님에게 앉을 자리를 준다.

벽壁에는 별이 밝다.
별에는 우유가 놓였다.
노래는 과거에
정차를 했다.

창窓은 날개를 펴는데
모래알도 충실하는데
무엇이 무엇을 묻는가.
물은 흘러도 날마다 신년新年이었으니
누구나 서로가 필요했다.

송 45

바람은 온다.

태풍이 분다.

하나님의

원조를 받아야 할 만큼

우리는 평화를 모조리 바쳤다.

허공으로 보낸

편지가 자비와 부딪는다.

기다리던 끝에 답장은 왔다.

씨앗이 싹트는

시간은 목소리였다.

조국과 산천은 세계며

우리는 햇볕이다.

옻[漆]도 밝은 빛을 심었으니

허무에도 내 손자국이 났다.

작은 이야기들이

하늘의 문을 드나든다.

무슨 재미나는

일이 있나 보다.

송 46

말을 쉬어야만
귀가
대답을 들을 줄 안다.

손이 소식消息을 땄을 때
별[星]은 의문부疑問符였다.
그 의문을 밭에 심었더니
옛 목제 가구들은
옛날로 돌아와 무성했다.

불면에 등불이 켜지자
벙어리가 된 책에서
물고기 떼들이 범람한다.

길은 반대로 뻗어 있었다.
서로가 만났을 때
반가운 시간이었다.

고독보다 더한 광명과

근심보다 더한 은혜가 있을까.

구멍이 난 바다와

하늘의 구멍은

증발하는 생각 사이였다.

주인은 말없이 묻는데

방안은 소리 없이 대답한다.

송 47

눈은
죽은 씨앗의 발아發芽를 본다.

두 손은 하늘을 모으고
마음은 서로 모여서 산다.

구름이 허공에서 노래할 때
물에서 구름은 노래한다.

나와 가장 가까운
그녀가 명색名色을 요리料理하면
부족不足은 눈을 뜬다.

보다 알 수가 없는 일은
손가락들 사이마다
밝은 빛이 넘친다.

비범한 일들은 사라졌다.
굴종에서 벗어난
유향수乳香樹는 살모사들을 뿌리로서 내렸다.
잎들은 편안히 숨을 쉰다.

네가 미워하는 적이 아니다.
나를 어질게 하는 적이 있다.
노래는
못 잊는 병病을 송頌한다.

남을 위한 성공이 있었다.
이처럼 모를 일은 사라지고
옥玉은 황홀했다.

하늘은 가진 것이 없어서
귀찮은 짓마저 주는가 보다.

그의
식기食器는 발아發芽를 안다.

송 48

눈이 먼 그 목적은 사라지면
아침이 오듯
알다가도 모를 일이다.
부족은 발견하듯
알다가도 모를 일이다.

나의 소망이 아니기에
소망은 차라리 가까웠다.
넓은 마음에는
시초始初에 가까웠다.

개[犬]는 구름에서 짖는다.
눈[眼]은 못 잊는다.
나뭇잎들은 일제히 돌아본다.

바람에 휘는 붓대[筆管]는
착한 길[路]이다.

그들은 길가의

막걸리 집에서

부활하는 뱅어포脯이다.

낡은 지식은 적赤 · 백白 · 흑黑이 있다.

오랜 정열은 금빛이 되었다.

옛부터 그러하셨을까.

아니지

별들이 흙에 내려온 것이다.

땅 위의 그들은

다녀가는 것이다.

부족不足이 얼어붙은

재료材料의 소리였다.

흐르는 정신은 귀중하니

몸은 좀더 천해야 한다.

송 49

잊지 못할 사람은
길[路]이었다.
동네는 부재不在에 있었다.

소꿉 당시의 친구가 와서
전하는 소식을 들은
그는 고향으로 투자를 했다.

아내는 묻는다. "황무지를 믿으우."
그는 달을 손가락으로 가리킨다.
보이지 않는 고향의 나무들이
달[月] 표면에 울창히 비쳐 있었다.

영원에서 30년을
아직도 통행 금지로서
세계의 관광지이지만
그러나 그들은

『용기』가 아니었다.

정신은 육체가 아닌 만큼
유명有名할 필요는 없었다.
그는 감동적인 향기를
목소리로 듣는다.

의복衣服은 변했으나
밤[夜]은 평등하였다.
그는 그대의 이름을
목소리로 칭송한다.

고기 덮밥에서
모를 일은
잃었기에 핏줄은 믿는다.

그는 줄 것이 없어
그녀의 손을 잡는다.
확인은 숲으로 들어간다.

송 50

눈보라는 가다가
어느새 봄이 되었다.
부족한 눈[眼]에는
자연은
가난하지 않았다.
그래서 그가 아내에게 물으면
아내는 그를 도왔다.

너는 보답하기 위해
어느 여가에
그를 찾아가는가.
거짓이 없는
약질弱質도 넉넉한가.
너에게 봄을 주사 놔줄까.

발사된 총알은
새가 되어 돌아가

거울에서 사향麝香 주머니로 쉬더니

심심하면 다시

총알은 빛나가서

날아온 새는

나에게 인사를 한다.

너에게는 향방向方이 없으나

생각이 익[熟]는 낙엽이다.

모르는 것과 비교하면

아는 것은 보잘것도 없다.

성질은 다르기에

서로가 어깨를 감싸준다.

반대편은

달[月]마다

조수潮水를 기다린다.

내가 나를

벗어나는 날은

그대가 될 것이다.

흰 배[船]가 서천西天에서 왔다.

말씀[言]인 절[寺]은

과학의 신앙이다.

문을 나서면

모순은 고맙다.

무더운 사나이는

아내에게

그늘을 만들어준다.

아이들은 희희낙락하면서

시원스레 물결을 친다.

장난감을 부르던

바람이 발[足]들에

입을 맞춘다.

송 51

옛날은 불모不毛에 마음씨를 심었다.

그들은 모든 신神을 다스리는

우리는 모든 부처님이다.

아름다운 힘은

경험도 못했던

봄을 이루었다.

밤이 깊어서

실패는 사랑하고

상실喪失이 찾은 것이다.

해외의 길거리에서

망향望鄕하는 눈[眼]은

몰라서 모르는 줄 아느냐.

그녀는 잠을 자면서 본다.

흘러가버린 이별은

함께 미래를 걷고 있었다.

"아무렇지도 않은 일이 있어요.
이곳을 다녀간 당신은
농작물을 거두어줘요."

문자는 사라져서
하늘이 되었다.
사라진 생각은
대지大地가 되었다.

찾아다니던 때는 지나갔다.
저절로 온
말씀이
자리에 앉는
나[我]다.

송 52

욕심을 줄여도
병病은 잘 낫지를 않는데
어느새
벽오동나무는 크게 자랐다.

눈도 멀[盲]어서 뜨는 눈[眼]은
먼 별에서
나의 가난을 옷으로 입은
옥피리의 소리다.

모색摸索을 지난
그가 기다리는 공간은
그녀가 오는 길이다.
흐르는 강물은
해[年]를 낳았다.

아픔은 믿는데

의사는 난처해한다
등[背]뒤의 빛으로
투신投身한 빛은
장마비에 살아나는 그림자거나
침목枕木이 부활하는 그림자였다.

욕심을 팔 수가 없는 그는
시간에 마음씨를 심었더니
배[船]는 소망所望에 닿았다.

송 53

새는 모험을 싫어하지만
맹수는 소문을 꿀[蜜] 먹듯 한다.

걸인乞人을 못 잊는 가을은
소망所望에 소유所有를 내주듯
무거운 짐을 벗는다.

성인聖人은 허공에서 웃으며
바다는 도처到處마다 발자국을 남긴다.

간혹 반성은
자기 등[背]을 본다.

사슴[鹿]의 날개는
부재不在에서 오는 음성일세.

서로가 믿으면

멀어도 안다.

누가 존경하지 않느냐
누가 멸시하지 않느냐

밤은 깊었는데
밤은 오염되지 않는데
어느 곳이 영광을 독차지했는가.

손가락이
만년필을 뽑으면
많은 생각은
물질物質로서 날아다닌다.

송 54

인공 위성이 찍은
모국 사진을
너는 방안에서 본다.
무엇이 어리석은 일인가.
아니야,
자궁은 싹[芽]을 지킨다.

칼이 베어도 거품들은 속삭인다.
물은 흐르면서 쉰다.
흐름은
충당充當하면서 간다.

겨울은 인가人家들을
위한 보온保溫이다.
심심하지 않은
근심은 목숨을 송頌한다.
일구월심日久月深한

이별은 목숨을 송頌한다.

광명은 참으면서
영생永生한 얼굴이다.
나의
어머님과
우리의
조상님은,
영생한 광명이다.

송 55

이제 정신이란
몸[身]의 그림자일 뿐이다.
사십억 인구의
하루가 사십억 일日인
열매[實]는 세상世上한다.

명암 접선明暗接線──
주민들은 보이지 않는데
기술技術들만 남았다.
다들 어디로 갔을까.
한 마리 개는
짝을 찾아 나선다.

"그래야만 할까.
좀 생각해봅시다."
그들은 재미나는 일을
거부당할까 봐

서로 미워한다.

지명 수배범은
의혹에 구멍을 뚫었다.
허무에 구멍이 나자
허공은 살아났다.

빈 곳으로 뻗는 소리는
모르는 데서 일어서는 지식이다.
잃은 것을 찾기 위한
씀바귀 풀들은 부재不在를 듣는다.
약한 진실만으로도 충분하니
무지한 힘에 봄비를 내리소서.

끝남을 시작하는
제각기 다른 성질들과
사십억 개의 우주는
무한에서 번식한다.

송 56

무엇을 아는가.
물방울소리를 아는가.

날으는 재[灰]들은 내려와
결혼을 한다.
바람은 두 가슴에
한 비[雨]를 심는다.
새싹은 흙에서 돋아난다
참으로 흙은 잘 견디며
아주 작은 시간도 흙을 찬탄한다.

주전자는 손[手]을 찾으며
반영反映은 위화감違和感을 이루었으니
공간을 맺은 곡선曲線으로
무無는 걸어 나온다.

그녀가 밤[栗]을 먹은 때와

그가 밤벌레를 죽인 것은

과연 같은가.

피[血]도 물이 아닌가.

믿으면 함께 웃는 곳이 있다.

저마다 시간은 다르기에

서로가 잊지 못한다.

되도록 모르는 일을 생각하게 하소서.

되도록 아는 일을 차별하지 마소서.

천한 이름을 천하게 마소서.

쓸쓸한 이름을 쓸쓸하게 마소서.

송 57

누구나 혼자서 온 세상이 아니다.
그렇다면
아는 일은 설명되지 않는다.

굶지 않은 고마움이
침묵을 본다.
감사感謝가
그의 세계였다.

없는 것을 모은
바람은
돌[石]을 통과하자
실내를 조명照明한다.

그와 그녀는
부동不動의 춤을 춘다.

송 58

바람이 늙지 않는다면
바람은
어느 정도로 젊은가.

자연을 보면 내가 있어도
나를 보면 거울[鏡]이 없다.

거울은 입술만 놀리는데
삼동三冬은 가난을 염려한다.
과학은 사람을 섬기고
종교는 인간을 모신다.

우리는 일박 이 일의
천국 관광을 하다가 말고
나는 아내와 함께 돌아와
고향에서 평생한다.

"화성에는 뿌리[根]가 없다더라."
알려지기로는 아직
별것이 아닌가 보다.

복종하지 않으려면
위로하는 길이 있었다.
물은 친절하건만
쇠[鐵]는 외로웠다.

아이는 전용기專用機와
육식도 싫었다.
아이는 세상에서도
못난 부모를 보고 싶었다.

기다림은
거울을 본다.
누가 너를 데리고 갔기에
너는 언제 돌아왔느냐.
아이야 손을 이리로 다오.

등[背]져서 앉은 그림자는
남의 물건으로

흥정을 하는 삼두자三頭者다.

하나님은 가난하지 않으며
자연은 넉넉해
각자의 재미는
간단하지가 않나 보다.

누가 원수를 갚듯이
행복을 판다느냐.

송 59

외신들에 따르면
한반도는 지구의
중심이라고 한다.
역시 그런가 보다.
경전經典들에 의하면
한반도는 세계의
해결점이라고 한다.
역시 그런가 보다.

목소리는
남에게 있지 않으니
주인主人에게 다리를 돌려주는
해[日]는 꽃사슴들,
나는 이슷도 하오이다.

송 60

충실한 개야
저리로 온.
피살된 족보族譜가
너희들의 세포인 것이다.

"하늘같은 주인님은
우리를 보호하십시오.
늘 발자국소리가
저를 찾으러 오는
몽둥이로 보입니다."

개는 매우 순종하는 반면
사납게 짖게 되었다.
"마음에 드시는지요."
이러한 유전遺傳으로
제바람에 미쳐버리는
놈도 더러 있지만

대신 연구종研究種 춤추는 개를

도둑맞지 않게

이리로 데려온.

풀밭에서

아기들과 함께 놀아라.

송 61

출근하러 집을 나왔을 때
택시 한 대가 있었으나
운전사는 없었다.

퇴근해 집에 가까이 왔을 때
앞에서 달려오는 택시 한 대가
아침에 보았던 길가 바로
그곳에서 갑자기 정거했다.
차에서 내린 운전사는
가게로 들어갔다.

아무도 가게에서 나오기 전에
그는 집 안으로 들어섰다.

송 62

그녀가 가기 전날이었다.
남편은 다른 장소場所와 놀더니
이튿날 승·패는
남의 손[手]에 의해 났다.

그 다음날
그들은 떠나버렸는지
어디에도 없었다.

세상은 캄캄한데
1977호실은
해인˙광중권속海印光中眷屬을 본다.

송 63

김구金九 선생은
장난치는 비둘기들로
구리[銅] 손바닥이
가려워서

남산이 킬킬 웃는다.
섬들도 킬킬 웃는다.

큰 은혜는
뒤에 오는
젊은 부모들에게
갚을 수밖에 없다.

소리는 구리가 된
스스로를 느끼더니
푸드득 푸드득
어느새 쌍쌍이 날아다닌다.

송64

남들을 위하거나
가정을 위하거나

풍요한 타락이거나
또는 빚에 쪼들리면

방송放送은 주인공을 내보낸다.
궂은비가 내린 뒤에
수면睡眠은 서로 친했다.

그의 머리카락이
그녀의 입술에 도르르 감기자
송신탑送信塔은 섰다.
손[手]들이 합치면
연꽃은 피었다.

귀는 들어도

미움이 무슨 뜻인지를
모르겠다.

눈으로 보아도
거짓말은
실현實現했다.

그가 떠나기 전에
평화를 찾을 것이다.
찾았을 때는
그녀가 돌아와 있었다.

송65

그것은 다른 것과 달랐다.
하나라도 그렇다면
모두가 그럴 것이다.

고통에도 회귀回歸는 절[拜]을 한다.

햇빛이 어린 땀[汗]으로
쇠[鐵]를 키우는
세상은 마음껏 과원果園이었다.

인구 문제는 쉬지 않는데 핵무기들은
만들어 무엇에 쓰려는가.

너무 넉넉해 그들은 갈라서는가.
좀더 아쉬우면 만나려는가.

배[船]는 짜증을

묵묵히 받아들인다.

대상對象에서

없던 새로움이 생기듯

없는 무엇이 미래를 포용한다.

송 66

말하기 싫을 때
빛[光]소리가 들린다.

생각은
생각을 없앨 수가 없었다.
그러히 쉬노라면
풀잎은 저절로 세계였다.

본의가 아닌 나눔이
집중하는 빛은
나뉘어도 하나였다.
돌[石]은 귀찮아서
물이 흐른다.

진실한 어리석음을
생각해보았는가.
스스로의 한 발견을

상상해보았는가.

손으로 잡으면 물[水]은
빛으로 변한다.

서로의 처지處地는
불안에 앞서
서로 위로하라.

서로가 다르기에 필요했으니
변화는 재미도 있다.

송 67

하필이면
새삼 별은 밝으냐.

전생의 업연業緣이 이루어졌나 보다.

그가 보리수를 떠나자
아팠던 하늘이 다 기뻐한다.
그가 우유를 마시자
울었던 세상이 즐거워한다.

여윈 발자국은 어디로 갔을까.

어디서나 밝은 못[池]은
밤낮없이 밝은 별이다.

귀를 기울여보면
오는 곳들은 영산회상靈山會相˚이다.

웃어보면 만나는 사람들은 나[我]였다.

송 68

수억만년 전의
어느 위성에서
공룡이 단 한 번
나를 동정했다.

나는 로비에서 그
감격을 돌아본다.

몇 억만년 뒤의
다른 위성에서
이름도 모를 과학물科學物은
단 한 번
나를 동정한다.

나는 엎드려 그
감격을 바라본다.

일순一瞬의 안팎에서
다시 나는 동정을
바랄 필요가 있는가.

나는 승강기를 타자
내 손에 잡힌
위성을 끌어안으면서
나를 돌아본다.

문은 저절로 열렸다.

송 69

너는 화해和解를 위해
스스로를 용서하라.

나는 그녀의 몸짓에서
나를 보니
별로 할말은 없다.

그럼 말씀은 잘못인가.
그렇다면
잘못은 매우 귀중한 것이다.

너는 기다릴 줄 알아야
오래 사느니
어느 논밭이
어려움을 마다하는가.

평소에는 모르다가도

잃은 뒤에야

알게 되는 명산名山이 있다.

계속하는 위험선線에서

얼굴들은 태연한 체를 한다.

넉넉함이여

하나도 같은 것은 없다.

시간과 거리距離가 뒤바뀌자

정면正面은

참으로 참으면서

습관을 벗어난다.

정면은 빛난다.

송 70

뽕나무는
열매도 준다.

물이 사라지면
물은 가득 찬다.
너의 모습은
없어서 내 앞에
나타난다

목소리는 잡히지 않는다.
목소리는 남지 않는다.

애를 쓰는 그는
그녀가 된다.

땅은 믿어서
하늘이 된다.

서로가

한 몸이기에

바라지 않았다.

송 71

나의 친구는

근심과 걱정이다.

너희들이 없으면

공중空中의 한 섬은

무슨 재미로 살까?

침묵이 아니면 생각은 실감實感을 못한다.

파도는

자랑이 아니다.

파도야

나의 겸연쩍은 목소리를

들어보아라.

국제 열차는

창조된 평등이다.

"내일은 어머님 결혼식에

참석을 해야지."
표현은 서투르지만
진정은 말한다.

세상에서 흔히 말하는
성공은 비밀인가.
인연因緣은 애욕愛慾을 치른다.

목숨을 만드는
남 · 녀가 자전거를 타고
쌍쌍이 간다.

어제처럼
내일은
새로운 발견이다.
흰 눈이
밤을 밝힌다.

송 72

대리代理 싸움이 없는
공원公園은
자연自然을 듣는다.

실어증은 말씀을 찾는다.

그래도 소망은
누구를 없애버리는가.
너는 덕분에
그녀를 찾았으니
감시監視는 처벌을 받았다.

솔직히 말하자면
여지껏 몰랐던 곳이
고향이어서
이제는 부담이 없는
감동을 본다.

무슨 일로 여기에 왔는가.

그는 생명을 전하러 왔다.

아버지가 되러 왔다.

어머니가 되러 왔다.

부모가 되는 외에

세상과 바꿀

무엇도 없다.

믿음은 하는 대로 두지만

침묵은 마음대로 생각한다.

폐수廢水가 총명한

숲을 막지 못할 때

손이 가죽[革]으로 된

책장을 넘겼더니

머나먼 눈[雪]이 온다.

날아온 흰 말[馬]이

그녀의 귀로歸路에 내려선다.

송 73

어둠 때문에
눈을 뜬 별들은
무슨 이야기를 서로 하는가.
귀를 기울여보자.

대문은 개[犬]였다.
그러다가도
개는 사람이 되었다.
고단한 별은
별을 탈출한다.
무능하다고 말하지 말아라
허무도 유능하지 않은가.

별은 약재를 팔러
시장에 들어가
어머님을 따라다녔던
시절을 둘러본다.

변하지 않은 것은
나 같은 아기를 업은
어머님들과 장바구니들이었다.
속삭인다.

"돈이라고 생각하지 말게.
애쓴 데 대한 감사일세."
고달픈 월급쟁이들은
집으로 돌아온다.

그들은 욕망을 정상화하지만
어디에도 피해는 없었다.
시간은 장단長短이 없으니
동물들은 모여 산다.

사랑은
자랑하지 않는다.
서투른 진정眞情은
서로들 믿더라.

가죽 장갑을 벗으면

엽총은 어디에도
상대가 없었다.

그래서 새벽은
종소리를 듣는다.

송 74

지구보다

무거운 그림자에서

구제되려면

좀 무엇인가 주려야 한다.

시간보다

많은 무無에서

벗어나려면

그대가 되어야 한다.

잃을수록 못 잊는구나.

없을수록 요긴하구나.

빼앗길수록 믿는구나.

그 이름은

무슨

구멍인가.

젖줄이여

샘물아.

송 75

잘나서 못살라는 까닭이 없는데
못나서 못살라는 이유라도 있는가.

어둠의 소리는
빛나는 어둠이다.

너는 숲에 손을 넣어
하늘을 떠 마시면
하늘은 어린
해[日]를 가꾼다.

아무 할말도 없을 때
귀에 들리는 대화는
네가 바로 나다.
없는 것이 있었다.

우리의 근심은 형제들이다.

못 잊는
생각은 끝이 없어서
우리의 고향은 해[日]다.

웃음은
살아나는 물[水]을
찾는다.

손은
안 보이는
손을 잡아준다.

아름다운
마음씨들이
날아다닌다.

송 76

구름소리를,
나무 테의 음악을,
없는 말씀을 듣는다.

바람을 좀 보았으면
씨앗을 좀 심어보았으면
샘물을 좀 보았으면

우러렀다가
무릎을 꿇어
두 손으로 짚고 천천히
머리를 깊이 숙인다.

없는 흙을
행여나 만날까 하여
오랜만의
봄 운동이다.

송 77

언제면 수난受難은 끝나는가.
죽음은 허다한
생명을 구제했다.

그는 군중들 앞에 섰으나
눈으로만 보는 사람은
그를 보지 못한다.
말을 들을 줄 아는 사람은
그를 분명히 본다.

가전 제품들도
부활이었으니
천백억화신은
다르지 않아서
하나하나가
제각기
오늘이다.

향나무와 여러 가지 문제로
자기 문제를 모른다.
냇물은 여러 가지 필요로
자기 필요를 모른다.

어찌 나[我]만의 것일까.
그래서 그는 옛날 옛적에 궁宮을 떠나
그러므로 조국에서 나왔다.

송 78

하찮은 목소리가
원圓을 그어대면서
그녀의 세계를
보여달라고 청한다.
내 실수로 생긴
그녀 턱의 상처가
우리의 절[寺]이었다.

하고 싶은 일만 하니
아픔이 왜 없겠는가.

한 점點이
삼동三冬의 열매[實]로서
걸어 들어왔을 때

나의 세계는 탄생하였다.

송 79

세상이 너에게 준
보석은
단 하나
암담暗澹이다.

내가 어디를 가거나
생각에서는
먼 가족이
내 품안으로 달려온다.

어느 나라 사람들은
어찌나 발전했는지
미리 자기 일생을
다 알고 있더라.

그래 소망은
미래에서

사는 것이다.

지구보다 많은 소문을
보는 눈은
한 거지인
석가라는 사람을
잊지 못한다.

송 80

불모不毛의 십자가에
그를 올리지 마라.
외로운 신神이 되지 마라.
아무도 되풀이하지는 않는다.

가난한 씨앗은
비옥한 마음이다.
믿는다.

갈증은 가뭄에 비를 내려도
피해를 주는 일 없이
성공했다.

경쟁만이 있는 곳에
풍성한 휴식을 준다.
위험에는
무엇이 필요한가.

침식浸蝕과 창조는
하나가 아니다.

네가 모르는 데서
꽃바구니가 되고
나[我]를 비워[空]서
존재는 미지未知를 듣는다.

소외만이 그녀를 안다.
좌절만이 그를 안다.
교도소는 하룻밤 사이에
큰 공원이 되었다.

변할수록 변하지 않는
그 무엇이 있었다.

송 81

가슴마다 법고法鼓소리가 벌떡거린다.
잠 못 자는
밤에는 꿈자락으로
속력에는
균형으로
기다림에는
웃음으로

법고는 말한다.
광물鑛物에도 짐승에도
이승에도 사어死語에도
어떠한 발명에도
어떠한 경쟁에도
어떠한 계산에도
어떠한 다수에도
어떠한 비정에도
어떠한 소수에도

염원念願은 법고를 친다.

그를 슬퍼하소서

그녀를 아끼소서

그를 아파하소서

그녀를 위로하소서

믿으소서

만나소서

안녕하소서

대답하소서

그들은 법고를 본다.

서러운 소원이 이루어진 날

불쌍한 소원이 이루어진 날

억울한 소원이 이루어진 날

약한 소원이 이루어진 날

캄캄한 소원이 이루어진 날

외로운 소원이 이루어진 날

법고의 침묵은 사라진다.

어떠한 사정에도

무수한

보람은 법고를 듣는다.

언제나 한없는

생명은 법고를 듣는다.

한없는

빛은 법고를 듣는다.

송 82

말씀은 말씀을 주리면서
서로가 접근한다.
공통어는 표정이다.
세계어는 웃음이다.
말은 누구인들 못하랴.

만나기 위해서는 어느 때인가.
만나게끔 하는 곳은 어디인가.
만나야만 할 다리[橋]는 무엇인가.

작은 귀고리를 달아주마.
좋다면야 몇 번이든지
서랍에도 넣어주마.

새삼 부끄럽지가 않았다.
새삼 후회하지는 않았다.
계산이 이용만 하는

반점斑點에서 누가 벗어날까.

기교가 없는 믿음과
서투른 감동은
포옹한다.
바람이 길러서
초목草木이 되었다.

돈의 타락도 아닌
너는
나의 자연이다.
섭섭한 아름다움도 찾아오는
나는
너의 모습이다.

송 83

배우면 손은 뭐든지 만들지만

생각은 다르기에

부족不足은 발견한다.

레이다 경보기는

문안問安을 기다린다.

물은 그의 모습을 반영하는데

그녀가 그를 보면

거울은 미소微笑한다.

격차가 줄면서

진화하는 조각은

지적인 땀구멍들이다.

무無는 노래하는데

나는 그녀에게

다리[橋]를 둔다.

그녀는 나에게
상상을 보낸다.

"대단한 이야기는 그만두세."
다시는 낡은 고가高價를
노래하지 않는다.

그녀의 마음씨 하나로
그는 대지를 들어 옮긴다.
먼동[曉]은 내외內外를
뒤따라온다.

송 84

벽이 혀를 놀린다. 벽들이다.
공간으로 넓은 귀가
무르익는 가을을 듣는다.

즐거움은
애쓴 식료품을 감사하는 것이다.
지친 가족의
단추를 달아주는 일과 벗겨주는 일은
불면증을 잠재우는 것이다.

채소밭이 이루어지는
부족不足은 심심하지 않았다.
모든 별을 부양하는
소득所得은 쓸쓸하지 않았다.

당신의 이름만으로도
금기禁忌는 풀린다.

당신의 이름만으로도

둥시질等時質은 되살아난다.

당신의 이름만으로도

역점力點은 확대한다.

당신의 이름만으로도

서로가 당신이 된다.

낙엽도

당신이 된다.

송 85

생각의 거리距離는

여기에 있네.

뜻밖에 태어난

그는 혼자서 가지만

손[手]들이 합쳐서

노래를 건축한다.

그러려면 우선 참아라 참아라.

모두가 지는 대신

주는 수밖에 없다.

이기기 위한 시비是非가

그녀를 손상할 수는 없다.

어둠의

작은 불빛은

시간의 중심이다.

허다한 경우가

혼자서 발견한다.

우리의 의자가

우리를 기다린다.

송 86

말씀은 본능이니
시차가 없다.

서로를 위한 그들이
하나라도 굶으면
과학은 뒤떨어진다.

저미低迷한 날개짓이
계속 부정하면
빛이 밝힌다.

바위야,
상대가 없으면
너는 상대를 찾아야 한다.
바위야.

귀여운 아이들아

초인超人도 사람인가.

우주는 전장戰場이 아니다.

제각기 생기는 형태形態가

비[雨] 오는 말씀을 제 나름대로 듣는다.

송 87

매연煤煙의 반사는 끝나면서
돌아오는 길이 있지만

화계사華溪寺 초생달은
보살의 눈썹이다.
내가 나의 눈을 주워서 보면
보살의 눈은
바로 무등등無等等이다.

나무들을 안은
오염은 몸부림친다.
눈[雪]의 차원은
복되라고 말한다.

죽음에서 살아 나온
흰 코끼리는 말한다.
"뭘 하는 거예요?

누구나 마음대로

나의 등에 앉아보세요."

송 88

그는 그녀와 등[背]만
서로 기대어도
앞·뒤가 없는데,

겨울 나그네는
어디로 가는가.

국적이 분명하지 않은
나그네는
긴 도중에서
은행 약간 알과

모과 세 개와
작은 돌 무늬[石紋]의
이야기를 얻었다.

그는

자기 집 방안에서

동시에

경험들을 본다.

그렇다면

겨울의 나그네는

언제 집으로 돌아왔는가.

그와 그녀는 마주

대하기만 해도

둘은

하나가 된다.

송 89

소원이 잘 이루어지지는 않아도
분명한 믿음이 있다.

날개가 없는 새야
내가 모르는 곳을
말해다오.

이십 세기의 동기생은
가족도 사십 억이 넘는데
겨울에
살아난 풀은 무슨 잎이며,
못 잊는 이름은 무엇인가.
좀 살펴보자.

병 꼭지가 없는 고발告發이다.
운동과 정지가 한 개의 못으로
연결된 욕망이다.

목숨이 다시 붙은 외계外界다.

몇 가지의 작용과

모자 언저리가 떨어져 나간 내재內在다.

나무가 없는

개발開發이다.

아무도 배고프지 않은

과학이

감동을 상대화하는

몰두에게

전화를 건다.

잃어버린 날개와

목소리가 만나기 위해서였다.

송 90

그가 전자 공학에 종교를 설하거나
경제를 절개 수술할지라도
그러한 외에도
누구나 바쁘면
그들은 말한다.
"착하지, 걱정하지 마라."

점심 시간에는
혼자서 약혼한 그녀에게
날아간다.

그녀와 값싼 음식을 들면서
무슨 말을 할 것인가.
안경眼鏡 모양으로 창窓이 뚫어진
비키니 수영복에 관한 의논을 할까.
그러할지라도 아직은 흰 눈이 내리니
보다 재미나는 거짓말은 무엇일까.

어떻든

당신이 잘 아는 이야기는

피해야 좋을 것이다.

송 91

별들의 옹달샘은 말랐지만
기다림은 흘러라 흘러라.
어떤 작은 풀잎과
나무도 웃어라.

손[手]아 손아 손아
제일 강산아.

저리거든 서로
살살 문질러라.
아리거든 서로가 가만가만
주물러라.

얌전한 손은 철따라
옷을 내어놓듯
무의미도 개어준다.

그가 세상에 태어나기 전부터

알았던

하늘 아래

제일 강산아.

송 92

읽는 사람이
없는 시詩를 쓴다.
시는 없는 것을 보는 눈이다.
겨울은 바랄 게
없어 찾는다.

서로가 다르기에
서로를 필요로 하지만
자랑의 대가는 무엇인가
방법의 결과는 무엇인가.
"애쓰셨어요. 받아줍시오."
"아니에요. 고마와요."

인공 인간은 성기를 만든다.
세계 과부 협회는
고층高層에 무기 판매 광고를
내걸었다.

파괴하는 이익은

친화親和하는 경쟁을 한다.

새는 술래잡기에서

나를 풀어달라고

호소한다.

하늘이 무슨 말을 하는가,

말을 받아써서 보자.

이별은

잃은 한 만난다.

아픔은 믿는다.

송 93

그들은 직업을 위해서도
그러나 의식은
취미로 사는 것이다.
새벽은 기도를 드리지만
졸작拙作은 심심하지 않았다.

그러고도 몰랐을까.
싸움은 알 수가 없다.
왜 복종하나요.
아플 때마다 부른 이름은
없는 어머님이다.

아내는 그의 재확인이다.
그가 아파트 범행을
숨구멍으로 막는 데도
아내는 따라왔기에
그는 말귀를 귀담아

듣게 되어 낙천樂天이다.

다르기에 기쁨은 같았다.
서로가 보충하는
표면의 이면은
어디에도 미움이 없었다.

송 94

부족한 만큼 가능한
고담枯淡은 치졸稚拙이다.
실수失手한 시절이
방안을 위로한다.

그가 감방을 산방山房으로 삼고
좋은 글만 쓸 수가 있다면
해외 여행보다는 낫지만
그녀가 없으면 어디에도 못 간다.

존경한 일이 없기에
존경한다는
그런 말은 믿지 말아라.
이래서 말은 생겨나는가 보다.

나는 거지의 제자며,
나의 스승은 거지였다.

스승은 실패를 보호하며

제자는 후회를 영광한다.

산천은

왜 되도록 못난이가 되라

격려했는가.

그는 그녀의 웃음을 기뻐한다.

가스 불에 구워 먹는 바다 고기는

지난날의 탄력彈力이었다.

목소리는 힘이 자라는 데까지 하는 수밖에 없다.

보다 많이 남겨주어야 할

여백은

자라날수록

태양의 빛을 배운다.

밤은 비[雨]를 듣는다.

당신은 협조할 줄

모르는 욕심꾸러기다.

너는 의심만 하는

허영덩어리다.

교육은

범죄의 자유와

성공한 실패를

모방했다.

들어온 반대로

문은 열려 있었다.

창은 벽에서 내다본다.

송 95

처지는 다르지만
서로가 못 잊는다.
눈[眼]은
서로를 못 잊는다.

그의 행동은
마음을 반대로 치루고
손[手]만 남았다.
그는 과식이 아닌
야외 도피였다.
생각은 알려고
눈을 깜박인다.

갈수록 총명한 서로는
돌아서도 멸시하지 않는다.
이름을 떠난
명칭名稱은

명색名色을 떠난
시간이 된다.

현재가 작용하는
눈[眼]은 무엇인가.
종소리는 합장한다.

부정의 뒤가
긍정이어서
그는 그녀와 함께 웃는다.

송 96

한때 절망적이었던 벽이
보호로 탈바꿈하더니
어느새
휴식이 되도록
세월은 흘러서
벽은 집이었다.

요는 된장찌개냐
고추장찌개냐의 정도였다.
그가 좋아하는 음식이라면
그녀는 무조건 좋아한다.
그렇다면
아내는 무슨 논리인가.

지난 일은 두 번 다시 하지 않는다.
찾다가 못 찾으면
부족不足은 없어서 만든다.

다르기에 우 · 열은 없었다.
재미나는 일은
너도 기다리는 동안
그녀는 온다.

그녀가 믿으면
바람은 신명이 난다.
아이들은 빈손이기에
공기는 무슨 짓을
해서라도 돕는다.

자랑을 벗은
감동은
무엇보다 맛난
시장한 입맛이다.
서투른 보람은
심심하지 않아서
말씀이 있기로
말씀을 듣는다.

송 97

마음은 버리면서 용납하여
조물주를 보호한다.
이익은 피해를 위로했으나
소용이 없었다.

목이 마른 만큼
아이들에게는
물을 준다.
기구祈求는 다시
한계를 지운다.

그래서 미래를 알까.
어떠한 미래로 바꾸어놓을까.
아니 미래를 만들어드릴까.
어디서부터 손을 잡을까.

쓸쓸한 그녀는 그에게 의지를 한다.

답답한 그는 그녀를 부축한다.

불타오르는 물과

물이 솟는 불은

무엇이 다른가를

자세히 모른다.

송 98

열매를 먹는 새와
맹수는 각기 다르다.

하늘에서 떨어지는 스카이랩과
바다에 표류하는 월난민越難民은 다르다.

공통어와
각국 풍속은 다르다.
스스로가 되거나
결국은 만든다.

기르는 어려움에
따르는 정성은
어느 곳에서도
심심하지가 않았다.

아이들을 위해서는

참는 축적蓄積이 있다.

그녀를 위해서는

소리도 삼가하는 밤이 있다.

어쩌다가 복은 덕이 없는가.

공은 덕을 잃었는가.

물은

어디로 흐르는가.

하늘을 치료하면

바다는 살아난다.

말씀을 치료하면

시간은 살아난다.

송 99

생각은 체험을
거울로 삼아 본다.
하찮은 목숨도 자연이어서
입은 감사한다.

그녀가 돌아오는 동안
견디기가 어려울 만큼
권총은 삭막하였다.

당해서 못 당할 일이 없다지만
그러나 남은 애정은
어두울수록 황홀했다.

그림자는
우편 불통郵便不通에
생각을 보낸다.
거룩한 의술은

참는다.

비웃기 전에 동정을 받아라.
쓰레기들의 존경을 받아라.
발전은 정신에 어떤 반응反應인가.

오염된 음식에서
자신을 지키는 행동은
새와 물고기를 남겨둔다.

달아나서 오해를 사지 않으면
무섭지가 않았다.

인식認識에서
노래하는 흙은
무성茂盛하는데

무엇이 무엇을 하도록
수많은
절대를 주는가.

송 100

기도는 말씀이 없으나
전등불은 기도를 듣는다.

침묵이 귀를 기울이면
흙의
부동不動은
가지각색을 키운다.

가을 햇볕이
책상에 든다.
감동한 마음씨는
기억을 소생蘇生시킨다.

뜻은 찾는 이에게
뜻을 전한다.

말은 말없이 책을 보는데

생각은 한 내용을 살핀다.

독자는 다르지만

독서는 같았다.

그가 그녀의

손만 잡아도

시간은 다시 흐른다.

송 101

한 장 종이는 말씀을 기다린다.
찬바람이
오염의 수익과
공해의 성장에
잎들을 날린다.

벌이 집으로 모여들 때
개미는 가족으로 모여든다.

내가 남이기에
허약한 목숨은
서로들 만난다.

그는 낮이면 책을 읽지만
밤이면 술을 판다.
사람아, 친구야.
추위를 위로하는

그는 그녀에게서
정처定處를 찾는다.

그는 말씀을
듣기 위해 말한다.

목소리는 찬탄하기 위해
좀더 뉘우친다.
겨울은 열매를
찬송하기 위해
아직도 믿는다.

송 102

하늘이 땅을 안아도
이별은 서러웠다.
그가 그녀를 안아도
날마다 뜨는 해는 새로웠다.

못난 소리도
좀 들어보아라.
그래서 화제는
너희들을 말한다.

철새가 잃은
씨앗을 받은
흙은 분명한 약속이다.
꽃이 싫어하는
냄새를 받은
하늘은 예쁜 호수다.

어리석음을 벗어난 거지는
두려움에서 벗어난다.

남남끼리 살아도
촌수가 없는
둘은 무촌이어서
걱정하는 결합結合은
화해하는
우스갯소리를 한다.

송 103

잎사귀는

하없는 이름을

한없는 이름으로 듣는다.

잎사귀는

모를 일을

확인하는 것이다.

공통점은

한 입원의

다혈증과 빈혈증 정도로

있는가 보다.

그리고는 또 무엇이 있는가.

곤궁과 낭비에서

음악은 되살아났다.

진눈깨비가 흩날리는 저물녘에

미술美術은 독신 생활을 면했다.

문학은

이튿날

총성과 간음에서 풀려났다.

이익은

피해를 주지 않는다는데

그렇다면

참으로 알다가도 모를 일은

잃은 이만이 안다.

손[手]은 다 다르지만

손은 하나인 것이다.

손짓하는 잎사귀가

그에게 귀띔을 한다.

송 104

죽은 사람도 다시 살리는 수가 있어서
사형이 비로소 실시된 날이다.
강은 두 언덕으로 흐르지만
길은 멀기만 하다.

물어서 아니 아픈
손가락이 있느냐.

무슨 소리를 해도 곧이 안 들어서
힘도 믿을 일이 못될 바에야
아내여
그럼 무엇이
우리를 서로 돕게 하는가.

그러고도 영양가를 알았을까.
당하고도 품위를 몰랐을까.
구도求道는 약한 자나 하는 짓일까.

감사하기 위한

위안은 무엇일까.

어떻든 잘은 모르겠어요.

봄비를 맞으면서 낡은 시간은

해탈을 한다.

기다림은

평생을 기다리거니

어머님이 나를

첫 대면하였듯

나는 안 계시는

어머님을 역력히 본다.

그래서 나날은 제불보살마하살이다.

그래서 모두는 제불보살마하살이다.

송 105

실망이 찾은 것은
실망을 확인한 게 아니다.
자네의 반대편은
우중충한 시장이었다.

우리의 고향은
영광도 자랑도 아니다.
우리의 고향이 있다.

남들이 좋아하는 자리는
남들에게 주고
남들이 돌아보지 않는 자리를
차곡차곡 챙긴
보람,
이 한 점을 얻은
눈보라였다.

나의 친구
괴에테보다 수척한
라이나 마리아 릴케여
돈암동 골목 포장 수레에서
우리는 술잔을 든다.
양식良識을 위한 상처는
어디나 위로였다.

우리는 극소수인 친구였지.
추운 밤이 부르면
달도 내려왔다.

여자여
남겨주기 위해서는
당신도 좀 쉬어요.

그러나 그들은 너무했다.
베토벤보다 요절한
모오짜르트여.
자네의 자장가는
워낙 시끄러워서
나의 단잠을 깨우기에

난 부득불 만나고는 한다.
추운 날에는
특히 명륜동 쯤에서
몇 천만년이건 간에
우리는 또 만나야 한다.

자네들은 한국말을
무던하게 잘 아는
독일의 자랑이었다.

우리는
원체 가진 것이 없어서
서로가 저절로 통하였나 보다.

송 106

기쁨은
웃어준다.
걱정은 걱정을 한다.
갈대는 바람을 따라
흔들릴 수밖에 없으니
설명할 수가 없다.

가난은 정으로 살고
여유餘裕는 도와서 산다.

목적은 구하는 한 없었다.
너는 어서 가
적막한 그녀와 만나야 한다.

복잡한 가능성은 무엇인가.
자연自然한 생명은 어디에 있는가.

말을 하면
말씀도 오물이어서
보잘것이 없어도
그릇은 정성이어서
둘은 다르지 않았으니
서로가
서로를 위한다.

물이 살아나자
태양은 눈을 뜬다.

물질은 후진이나
정신 항공航空에는 선진국이 없었다.
약간의 바람에도
오리나무는
귀를 기울인다.

송 107

해마다 그는 왔지만

나는 그가 싫었다.

그는 우리들을 위한다지만

불길한 십자가가 되었다.

해마다 나는 갔지만

그녀는 나를 피했다.

그녀는 천사들을 위한다지만

결국은 구름만 피어나는

신축新築 교도소가 되었다.

달밤이 갑자기 속삭인다.

"아내야, 나를 데리고 가거라."

흰 눈은 숲에 내리는데

"엄마가 나더러 오란다" 면서

톨스토이 옹翁은 집을 떠나갔다.

송 108

낮이 되면 건망증은
심심한 만큼 바쁘다.

밤이 되면 불면증은
남보다 시간을 더 누린다.
이러한 미안未安을 무엇으로 갚지요.

그래서 눈이 그렇게 보이는가 보다.
콘크리트 혼잡에서
겨우 약질弱質은 천문天文으로 유지한다.

눈을 감으면 거울이 보인다.
눈을 거듭 떠보니
딴 세상이 금세 되었구나.

한없는 송頌을 누가 알까.
면면한 송을 어찌 다 삶을까.

없기에 무진無盡한 송을

그대가 전하시지요.

귀[耳]가 먹으니

내부內部의 소리가 들린다.

편집자 주

- 겸재 —— 정선鄭歚의 호. 조선 후기의 화가. 조선 산수화의 독자적 특징을 살린 산수사생山水寫生의 진경화眞景畵를 그렸다. 여행을 즐겨 금강산 등 전국의 명승을 찾아다니면서 그림을 그렸으며, 「여산폭포도」, 「여산초당도」, 「인왕제색도」 등으로 유명하다.

- 고운 —— 신라의 대학자 최치원崔致遠의 호. 학문이 깊고 문장이 뛰어나 당시의 격문, 표장表狀, 서계書啓는 모두 그의 손으로 지어졌으며 특히 『토황소격문討黃巢檄文』은 명문으로 알려져 있다. 여러 벼슬을 거쳤으나 이후 난세를 비관하며 각지를 유랑하다가 생을 마쳤다. 글씨를 잘 썼으며 그가 쓴 『난랑비서문鸞郎碑序文』은 신라 시대의 화랑도를 설명하는 귀중한 자료이다.

- 무량겁 —— 불교에서 무한한 시간을 이르는 말.

- 사라쌍수 —— 석가가 사라수 숲에서 열반에 들 때, 그 사방에 한 쌍씩 서 있었다는 사라수.

- 영산회상 —— 조선 세종 때 만들어진 불교 음악의 한 가지.

- 원융무애 —— 일체 제법諸法의 사리가 융통되어 막힘이 없음.

- 이인상 —— 조선 시대 서화가. 호는 능호. 시문 · 그림 · 글씨에 모두 뛰어나 삼절三絶이라 일컬어졌으며, 특히 그림에는 산수山水, 글씨에는 전서篆書 · 주서籒書에 빼어났다.

- 천백억화신 —— 불타의 헤아릴 수 없이 변화하는 몸.

- 해인 —— 바다가 만상萬象을 비춘다는 뜻으로 일체를 깨달아서 아는 '부처의 지혜'를 이르는 말.

시인의 초상—김구용 편모片貌

강우식 | 시인

시인의 초상

『구용 삼국지』, 『구용 수호전』 등 선생님이 번역하신 '중국 사대기서四大奇書'에서 터득한 비법인지 모르겠지만 선생님의 장력掌力은 대단하다. 아니다. 대단함을 뛰어넘어 위대하다. 장력이라니까 무슨 중국 무술 영화에 나오는 무사들의 '장풍' 처럼 경천동지驚天動地하는 일을 연상하는 분들을 위하여 우선 선생님의 장력에 대하여 설명할 필요가 있다.

선생님의 장력은 결코 특별난 것이 아니다. 그저 손아귀 힘이 '늙은이가 뭐 이리도 셀까' 할 정도다. 그러면서도 구용 선생님의 허다한 일화 중에 굳이 장력을 들먹이는 것은 그 속에 선생님의 모든 것이 들어 있기 때문이다. 선생님의 장력은 예사 땐 발휘되지 않는다. 반드시 술좌석에서만 나온다. 선생님께서는 이 장력을 발휘하기 위하여 술을 드시는 거나 아닌지 하고 나는 생각할 때가 많다. 술을 드셔봐야 오래전에 받으신 위 수술로 때문에 고작해야 맥주나 막걸리 몇 잔의 실력이시다. 위스키 따위의 양주는 절대 사양하신다. 그렇다고 선생님의 주량이 약한 편은 아니다. 지금도 웬만한 젊은이들만큼은 술자리 좋고, 사람 좋으면 사양 않으시고 술을 드신다.

선생님의 장력이 발휘되는 시기를 대강 요량해보면 맥주 두 병에서 세 병 사이를 오락가락할 때부터다. 그 정도의 주량이 되면 선생님은 옆에 앉아 있는 사람들의 손을 수시로 잡는다. 말이 잡는 것이지 실제로 당해본 사람들은 그것이 예사로 잡는 것이 아니라는 것을 잘 알고도 남는다. 어떻게나 아픈지 손 한 번 잡힐 때마다 비명이라도 지르고 싶을 정도이다. 그렇다고 선생님보다 훨씬 젊은 우리들이 손 한 번 잡힌 것 때문에 비명을 지를 수도 없어서 가만히 잡혀주고 있으면 어떤 때는 선생님께서 속으로 '이 녀석 이래도 안 아파' 하고 더욱 세게 잡으시는 것도 같고 하여 마침내는 선생님의 장력에 못 견디어 틈을 보아 슬그머니 선생님 곁에서 도망 아닌 도망을 가야 한다.

선생님을 가끔 모시고 술을 자주 하는 내 연배의 문인으로는 소설가 조건상, 시인 정진규, 박제천 등이 있는데 선생님과 술자리를 같이할 때면 우리는 술자리에서부터 선생님 옆에 안 앉으려고 신경전을 벌인다. 예의 그 장력의 맛을 우리는 톡톡히 보았기 때문이다. 그래서 늘 우리들만 일방적으로 당하다 보니까 이제는 더 당할 수가 없어서 비방을 갖게 되었다. 이름하여 '구용 장력을 피하는 법' 이다. 창안한 자는 역시 선비 재사형의 시인 박제천이다. 이 박제천과 선생님을 모시고 술이 시작되면 항상 나는 기가 죽는다. 왜냐하면 박제천은 구용 선생님을 깍듯이 모시지만 나하고는 달리 사제지간이 아니다. 그래서 그는 나보다는 훨씬 편하고 부드럽다. 언젠가 선생님께서, "우리는 다 호형호제지간이나 다를 바가 없다"고 지나치는 말 한마디 한 것을 가지고 선생과는 진짜로 그런 사이처럼, 더러는 시에 대하여, 인생에 대하여 제법 담론을 한다. 하지만 나는 선생님 앞이라서 그럴 수도 없다. 그저 고분히 듣는 쪽이다. 나의 그런 낌새를 눈치챈 박제천은 선생과 얘기하다가도 내 쪽을 돌아보며, "봐! 호형호제지간이지" 하고는 약을 올린다. 호형호제로 치면 저와 나 사이고 내가 엄연히 형뻘인데도 으스대니 그럴 때면 그 좋던 술맛도 싹 가시고 만다.

어쨌든 그런 터수여서인지 박제천은 구용 선생님께서 장력을 발휘할 때만 되면 순순히 손가락을 잡혀주는 것이 아니라 그때마다 잡히기는 잡히되 주먹을 꽉 쥐고서 잡혀주는 것이다. 그러니까 박제천의 손은 구용 선생님께서 장력을 발휘해도 난공불락이었다던 저 나바론의 요새 같다고나 할까. 잡힐 대로 잡히면서 오히려 무슨 즐거운 파티나 열린 것처럼 저 혼자서 희희낙락하는 꼴이라니. 그것이 또한 더욱 나의 부아를 돋우는 원인이 되기도 한다. 왜냐하면 박제천의 손을 잡다 보면, 구용 선생님께서도 별로 재미가 없어서인지, 스스로 자리에서 일어서서는 내 곁에 오시는 것이 아닌가. 그리고는 예의 장력을 또 발휘하기 시작하는데 내 손 한 번 쥐고서 그 유명한 명언, "늬들이 내 원수 갚아달라"는 한마디 하고, 한참 있다가는, "어머니 곁에 가고 싶다"라고 하고 또 한 번 풀었다 잡고서는, "나 너무 까불지요"를 하시는데, 나의 경우에는 스승이 내 손을 잡는데 아무리 술좌석이라고는 하지만 박제천이처럼 무례하게 주먹을 쥘 수는 없어서 아프더라도 그냥 잡히고 말 수밖에 없는 노릇이다. 그러면 이 눈치 빠른 박제천이 또 그것까지도 알고 나를 향해 아주 꼬습게 웃는데 평소에 열 잘 받기로 유명한 내가 스승 옆이라 꼼짝없이 당하기만 해야 하니 그 심정이야 오죽하겠는가.

여기서 '구용 선생님의 장력'에 대하여 몇 가지로 검토할 필요가 있다. 첫째는 선생님의 장력 과시이다. 한 번 장력권에 들어가 본 사람들은 누구나가 그 힘의 대단함에 놀란다. 구용 선생님의 용모는 직접 뵌 분들에게는 구구한 사설이 필요 없을 정도로 훌쩍 크신 키, 듣기 좋아서 후리후리한 몸매지 뼈에다 가죽을 씌웠나 싶을 정도로 여위셨다. 그 어디를 보아도 그런 힘이 나오리라곤 도저히 상상도 못할 정도다. 그래서 더욱 장력권에 들어간 사람들은 놀라는 것인지도 모르지만, 어쨌든 장력이야말로 구용 선생님이 스스로 유일하게 할 수 있는 자기 과시임에 틀림없다. "너희들이 나를 우습게 볼지도 모르지만, 나는 이렇게 힘이 세다, 건재하다, 늬들이 나를 힘으로도 이길 것 같애, 어림없지, 어림없어" 하는 건강함의 과시이다.

둘째는 그 장력이야말로 바로 구용 선생님의 제자, 후배, 가까운 사람들에 대한 사랑인 것이다. 구용 선생님은 장력으로 사랑을 표시하시는 분이시다. 그것을 확인하기란 드문 일이지만 장력 다음 단계로 곁에 앉은 사람의 귓불을 무는 시늉을 하거나, 실제로 우리들이 귀엽다며 손등을 가볍게 문 적도 있다. 남자들끼리라 쑥스러울 때가 있지만 선생님은 조금도 개의치 않으신다. 내가 왜 굳이 이 이야기를 꺼내는가 하면 그 일에 구용 선생님의 부성적인 사랑이 깃들여 있음을 알기 때문이다. 실제 내가 경험해본 바로는 한때 나를 사랑하던 여자에게서 그런 것을 느꼈다. 이 여자는 다방에서든 술집에서든 어디에서든지 나와 만나서 이야기하다 사랑스러우면 가리지 않고 내 손가락도 물어주고, 뺨도 감싸주고 했는데, 그 여자에게는 모성적인 사랑이 아주 많아서 나를 어린애 대하듯이 하였던 것 같다. 구용 선생님의 장력이라는 것도 바로 이런 사랑이다. 그래서 우리들은 말로만 구용 선생님 곁에 앉기를 피하는 체하고, 그 장력을 피하는 법 어쩌고저쩌고 할 뿐이지 누구나 그 장력의 따뜻한 사랑을 은근히 기대하는 것이 솔직한 심정이기도 하다. 나는 이런 까닭으로 구용 선생님의 장력은 힘으로도 대단하지만, 사랑에 근원을 두었기에 위대하다고 말할 수 있다.

그러면 구용 선생님의 신비의 장력은 어디서 나오는가. 그 출력은 구용 서체와 관련이 깊은 것으로 판단된다. 서예란 무엇보다도 붓을 힘있게 쥘 수 있는 장력이 있어야 한다. 일생을 시 쓰시는 것에 전념해온 한편 선생님은 붓을 잡는 일에도 게을리하지 않으셨다. 그 서예에의 정진이 장력을 지니게 된 원인이라고 본다. 고졸하면서도 물 흐르는 듯한 구용 서체는 나와 같은 서예에 문외한의 눈에도 다른 서예가들의 체와는 다른 구용만의 글씨체라는 것을 한눈에 알 수 있을 정도로 독특하다. 서예야말로 묵향 속에서 살아온 구용 선생님의 맑은 정신의 기를 나타내는 가장 좋은 것이라고 나는 항상 느낀다. 선생님의 곁에 있으면 우리가 삶의 어려움 속에서도 가져야 할 시인으로서의 정신 자세와 아무도 범접 못할 인품을 느끼게 되는 것도 선생님께서 힘써온 서예 때문이 아닌가 한다. 시는 내 푼수로 가늠하기에는 아무래도 도를 닦는 일이 아니다. 그 대신 시를 쓰는 사람으로서의 정신은 누구보다도 맑게 가져야 된다고 생각한다. 선생님은 시인 정신, 그 누구도 못 따를 시인됨을 아마도 서예에서 얻어오는지도 모른다. 서예를 우리가 일컬어 서도라고 하는 것도 우선은 무엇보다 마음을 닦는 데 가장 좋은 예술의 한 분야로 도道와 관련이 깊음이 그 증거이다.

선생님은 특히 서예가로서는 추사 김정희를 좋아한다. 추사체라는 독특한 붓글씨를 창조한 금석문金石文의 대가였던 그분의 붓글씨만이 아니라, 그분의 학문, 살던 집까지도 너무나 좋아해서 답사하였을 정도다. 예산의 추사 고택뿐 아니라 제주도에 추사가 유배되었을 당시의 기거지도 바쁜 일들을 다 제쳐놓고 찾아보았고, 틈만 있으면 봉은사, 화계사도 자주 찾으시는데, 그 절에는 추사의 현판 글씨가 있기 때문이다. 뿐만 아니다. 어느 때인가는 나와 함께 중앙청 옆길로 해서 자하문 쪽을 지나치게 되었다. 그 길의 구간이 '추사로'로 불리는 것을 가르쳐준 이도 구용 선생님이시다.

선생님은 아마도 이 땅의 시인들에게 시집의 제자題字를 개중 많이 써준 분일 것이다. 선생님의 서예의 대표작으로는 월탄 박종화 선생 시비의 글씨를 비롯하여 많은 서예 작품이 있고 시집의 제자도 있다. 후배 시인들이 구용 선생님께(시집을 내게 되면) 제자를 받는 것도 이 어려운 시대 속에서 흔들리지 않고 살아온 선생님의 고결한 정신을 이어받고 싶어서이리라. 선생님은 시집의 제자를 쓰신 후에도 백화시실白樺詩室 주인이니, 자묘암慈妙庵 주인이니 하여, 쓴 이를 밝히고 반드시 낙관을 찍는다. 백화시실이란 추사 선생의 습작 붓글씨의 하나. 어쩌다 추사 낙관도 없는 소폭 글씨를 한 폭 수중에 넣으시고 너무나도 기쁜 나머지 지은 이름이다.

지금도 내 눈에 선연히 떠오르는, 추사와 관련된 감동적인 일화 하나가 있다. 관수동에 있는 신영 의원인가 하는 데에 선생님이 갑자기 입원을 하셨을 무렵이다. 병명도 급성위염인가 여서 마침내는 수술을 하게 되고 입원실에 누워 있을 때이다. 선생님의 입원 소식을 듣고 병원에 가보니 선생님은 수술을 한 지도 며칠 되지 않아서 기동도 못하고 계셨다. 그때 선생님은 내가 가자 침대 한 쪽에 매달린 끈을 잡고 아픔을 이기면서 억지로라도 일어나려고 한 적이 있다. 불편하신데 편히 누워 계시라고 하여도 막무가내로 몸을 일으키시며 선생님은 병실 한 쪽 벽에 걸어둔 액자를 보고 있었다. 그 액자는 추사의 글씨 죽로지실竹爐之室이었던 것으로 아슴푸레 기억된다. 당신이 현재 겪고 있는 아픔마저도 추사의 액자를 보며 달래고 너끈히 이기시는 분이 바로 구용 선생님이시다. 그러므로 구용 선생님의 장력은 바로 이상과 같은 것이 종합된 데에서 우러나오는 것으로 이해되어야 한다.

선생님은 요즈음에는 술자리에서 장력을 발휘하시다가 곧

잘 노래도 부르신다. 그 노래 제목이 무엇인가 하면 '귀곡성'이다. 귀곡성이란 귀신을 곡하면서 부르는 소리란다. 내 생전 「귀곡성」을 들어본 것도 선생님에게서 처음이다. 선생님은 어디서 배웠는지, 아니면 혼자서 창작하여 만드신 노래인지 그 연원은 모르지만, 이 「귀곡성」이 십팔번이다. 「귀곡성」이란 노래를 들어볼라치면 요상하기 짝이 없다. "어이 어이, 으이 으이" 하는 어떻게 흉내도 못 낼 소리로 되어 있는데, 실제로 듣다 보면 귀신이 나올 것도 같고, 슬프기도 하고, 우습기도 하고, 사람의 온갖 마음을 다 움직이게 만든다. 나와 같이 선생님의 살아온 일화를 더러 들은 사람은 그 노래 속에 당신께서 어머님을 그리워하는 마음을 읽을 수 있고, 또 부모 곁을 떠나지 않으면 제 명대로 수를 다하지 못한다고 하여 어려서 부모님 곁을 떠나 금강산에 홀로 계셔야 했던 유년의 고독과 아픔을 느낄 수 있고, 더 나아가서는 우리들 살아가는 인생 자체의 허망함들이 느껴져서 더욱 처연한 실감으로 가슴에 다가오기도 한다.

이제 선생님의 시 얘기를 좀 하자. 앞에서도 얘기했듯이 선생님은 술이 취하시면 "시에, 인생에 내 못다 한 원수를 갚아달라"고 곧잘 우리들에게 말하신다. 이 말을 들을 때마다 나 개인으로서는 참으로 어정쩡해지지 않을 수 없다. 왜냐하면 원수를 갚아드리겠다고 하기도 뭣하고 그럴 수 없노라고 하기도 어렵기 때문이다. 물론 이 말의 뜻에는 너희들이 시를 잘 써달라는 말씀이 깃들여 있지만, 너희들 시가 나보다는 좋아야 되지 않겠느냐는 뜻도 있어서 어정쩡해지는 것이다. 하지만 이 말 속에는 선생님의 괜한 엄살기가 깃들여 있는 것 같다. 누가 내 시를 따라오겠느냐, 아니면 너희들이 내 시를 제대로 알기나 하느냐, 하는 당신의 시에 대한 절대적인 긍지도 있는 것 같다. 어떤 때는 문학 얘기라고는 좀처럼 안 하시는 선생님께서 나에게 이런 말을 한 적이 있다. 이제까지 살아오면서 돈도 안 되는 시를 쓰면서, 할말 제대로 못하면서 살아온 적이 그 얼마나 많은가. 권력을 가진 자에게, 돈 많은 사람들에게, 힘이 센 자들에게 눌리고, 밀리고, 괄시를 받으면서, 이 눈치, 저 눈치 살피면서 살아왔지만, 결단코 시에서만은 눈치를 봐서는 안 된다는 말씀이셨다. 선생님의 이 말씀은 그대로 나에게 이어져서 내 어쭙잖은 문학관을 밝히는 어떤 글에서 나도 그렇게 시를 쓰고 싶다고 한 적이 있다. 선생님의 시집으로는 『시詩』, 『송頌』, 『구곡九曲』, 『구거九居』 등 네 권이 있다. 권수로는 비록 네 권이지만 어이 분량으로만 따지랴. 그에 담긴 내용들은 한결같이 이 땅의 시인 그 누구도 흉내를 낼 수 없는 당신만의 시 세계를 가지고 있지 않은가. 오늘날 젊은 시인들이 실험 시를 쓴다고 하여 평론가들이 새로운 스타일의 시라고 이러쿵저러쿵 하지만 구용 선생님의 시는 그들의 시보다 더 고도한 수법으로 이미 오래 전부터 일관해오지 않았는가. 서구의 다다, 쉬르, 그리고 불교의 『유마경』에서 보이는 세계, 노장老莊의 세계들로 그 시의 바탕을 삼고 단순한 실험 시의 세계가 아니라 심오한 사상까지도 시의 그릇에 담아오신 것이다. 그러므로 구용 시는 난해하다. 오늘날 구용 시에 대해 한 편의 평론조

차 제대로 나오지 않은 것은 선생님의 시 세계가 그만큼 폭이 넓고 깊기 때문이며 그 난해성까지 접근하려면 불교의, 노장의 철학까지도 이해해야 하는 어려움 때문이라는 것을 부정할 수 없으리라. 그러면서도 참 이상한 것은 구용 선생님께서 어쩌다 술좌석에서 아주 드물게 자작시를 흥에 겨워 낭독하실 때가 있는데 그럴 때면 선생님의 시가 어렵잖게 이해되기도 한다는 것이다. 그런데 시집으로 보면 왜 그렇게도 난해할까 의아스럽기도 하다.

그 다음 선생님의 문학에서 한 가지 빠뜨릴 수 없는 것이 있다. 구용 선생님은 우리 시단을 통틀어서 비교적 산문을 안 쓰신 분일 것이다. 선생님에게는 흔히 말하는 산문이 없다. 굳이 들라면, 이상 시와 서정주 시에 대한 평론이 없는 것도 아니지만, 그것도 자의에 의해서 즐겨 쓰신 글이 아닌 것으로 안다. 산문이 없는 선생님에게 산문이 있다면 이상한 일일까. 선생님에게는 '구용 일기'라고 일컫는 일기가 있다. 이 일기는 선생님의 필생의 산문이다. 원고지 매수로도 1만 매 이상이 되는 것으로 아는데, 이 일기 속에는 한국 문단사가 들어 있다. 부산 피난 시절 가난했던 문인들의 생활과 방황과 정신적인 갈등에서부터 오늘에 이르기까지가 적나라하게 기록되어 있다. 문단에 대한 기록으로 찾아볼 수 있는 정확한 자료가 있다면 이 '구용 일기' 야말로 유일한 자료가 아닌가 싶다.

요 몇 년 전부터 구용 선생님은 귀가 잘 안 들린다. 곁에 가까이 뫼셔도 큰소리로 말해야 알아들으신다. 이제 남의 소리를 듣기보다는 선생님의 소리만을 해야겠다는 의지에서 그리 되신 것일까. 시인이란 자기의 목소리를 가져야 한다는 사실을 몸소 보여주심인가. 장력의 위대함만큼 선생님, 늘 건강하소서. 선생님, 나 너무 까불었지요.

연보

1922. 2. 5.(음력)	경상북도 상주군尙州群 모동면牟東面 수봉리壽峰里에서 부父 김창석金昌錫, 모母 이병李炳의 6남 1녀 중 4남으로 출생.
1925	몸이 허약한 구용은 철원군 월정 역에서 멀지 않은 어느 마을에서 유모 싸마와 그 해 겨울을 보내다. 싸마는 일찍이 그의 탯줄을 잘라낸 안노인이다.
1926~1930	금강산 마하연에서 싸마와 함께 불보살님께 지심정례至心頂禮를 드리기 시작하다.
1931	경남 대구 복명보통학교에 입학. 그 해 다시 철원군 보개산 심원사 지장암에서 병 치료를 위해 요양하다.
1932	서울 창신보통학교에 2학년으로 전학, 5학년까지 수학.
1936	수원 신풍보통학교 6학년으로 전학.
1937	서울 보성고등보통학교에 입학.
1938	금강산 마하연에서 다시 병 치료를 위해 요양.
1939	충남 공주公州 집에서 부친 세상 떠나다.
1940~1962	부친 대상大喪을 마치고 공주군 동학사東鶴寺에서 일제 시대의 징병, 징용을 피해 은둔, 독서와 습작을 계속하다. 이후 동학사에 수시로 기거하면서 경전 및 수많은 동서 고전을 섭렵하고, 시작詩作에 깊은 관심을 보였으며, 한편으론 동양 고전 번역에 관심을 갖게 되다.
1949	『신천지新天地』에 시 「산중야山中夜」, 「백탑송白

塔頌」 발표. 성균관대학교 입학.

1950	6 · 25 발발, 전쟁의 와중에 비명횡사를 면하고 구사일생하였으나 천애 고아가 되다. 시인의 '부산 시절'이 시작되다.
1951	부산에서 『사랑의 세계』지 기자.
1952~1954	부산 상명여자중고등학교 교사.
1953	성균관대학교 국문과 졸업.
1955~1956	『현대 문학』지 기자. 육군사관학교 시간 강사. 현대 문학 신인 문학상 수상.
1956~1987	성균관대학교 문과대학 강사, 조교수, 부교수, 교수 역임.
1956~1973	서라벌예술대학교 강사.
1957~1958	건국대학교 강사.
1958~1959	숙명여자대학교 강사.
1958~1961	숙명여자중고등학교 강사.
1960	능성綾城 구具씨와 결혼.
1960~1961	성균관대학교 성대신문 주간.
1962	동학東鶴 산방山房을 떠나 책들과 짐을 서울 성북동 집으로 옮기다.
1987	성균관대학교 정년 퇴임.

저서

1969	시집 『시집詩集 · I』 삼애사三愛社
1976	시집 『시詩』 조광출판사朝光出版社
1978	장시 『구곡九曲』 어문각語文閣
1982	연작시 『송頌 백팔百八』 정법문화사正法文化社

238

번역서

김구용

1922년 생. 시인이자 한문학자.
육군사관학교 강사, 서라벌예술대학 강사, 건국대학교 강사, 숙명여대 강
사를 지냈으며 1956년부터 1987년 정년 퇴임할 때까지 성균관대학교 교
수로 재직했다. 저서로는 『송 백팔』(1982), 『구곡』(1978), 『시』(1976), 『시
집1』(1969), 역서로는 『(동주) 열국지』(1990, 1995), 『삼국지』(1981), 『수
호전』(1981), 『노자』(1979), 『(완역) 열국지』(1964), 『옥루몽』(1956,
1966), 『채근담』(1955)과 편서 『구운몽』(1962)이 있으며, 일기 형식으로
기록한 다수의 수필이 있다.

김 구 용 문 학 전 집 3——송 백 팔

1판 1쇄 2000년 6월 5일
지은이 —— 김구용
펴낸이 —— 임양묵
펴낸곳 —— 솔출판사
책임 편집자 —— 임우기
부편집자 —— 김소원
북디자인 —— 안지미
제작 —— 장은성
인쇄 —— 제형문화사
제본 —— 성문제책사

서울시 마포구 서교동 342-8
전화 332-1526~8 팩스 332-1529
출판 등록 1990년 9월 15일 제10-420호
© 김구용, 2000
ISBN 89-8133-356-4 04810(세트)   89-8133-359-9 04810

*저자와 협의하여 인지를 붙이지 않습니다.